Les Fleurs Animées (Die beseelten Blumen) erschienen im Todesjahr Grandvilles 1847. »Und wenn etwas auf diese Bilderseele aus dem Blumen- und Menschenleben zutraf, so war es eine andere Stelle der selbstverfaßten Grabinschrift: ›Er beseelte alles und machte, nach Gott, alles leben, sprechen oder gehen.‹ ... *Die beseelten Blumen* sind nicht lediglich vermenschlichte Blumenerscheinungen. Der Reigen ist vertrackter, der vorüberzieht. Es ist die Symbiose des Überzarten, des sanften koloristischen Wahns, der sehnsüchtigen Hingabefähigkeit mit dem miniaturhaften Spleen des Festhaltens von Einzelheiten. Die Einzelheit wird von Grandville zwanghaft vorgeführt, und sie verführt, indem sie so sich zeigt. ... *Die beseelten Blumen* sind, wie vorher die von ihm gezeichnete Welt der Tiere, besondere Menschenwesen, oder anders ausgedrückt: Lebe- und Schwebewesen zwischen Mensch und Pflanze, in verführerischer Manier bis zur exzessiven Künstlichkeit, Stilisierung geraten, einer suggestiven Erstarrung ausgeliefert, bei rasender Lebendigkeit, einer Pedanterie der Genauigkeit als einer Schwester der Labilität, der strapazierten Sensitivität, der unmäßigen Ausdrucksfähigkeit, in der sich Grandvilles Phantasie entlud wie ein privates Naturereignis, das an den Sinnen und Kräften zehrte und den Verfall halb verbarg, halb aufdeckte, ihn jedenfalls zuließ und einen bestimmten Verfallsprozeß durch eine sinnliche Exaktheit durchscheinend machte.«

Karl Krolow

insel taschenbuch 524
Grandville
Die beseelten Blumen

GRANDVILLE DIE BESEELTEN BLUMEN

LES FLEURS ANIMÉES

MIT GEDICHTEN
AUSGEWÄHLT VON
MARIANNE BEUCHERT
UND MIT EINEM NACHWORT
VON KARL KROLOW

INSEL VERLAG

Die Wiedergabe der Stahlstiche folgt der Ausgabe
»Die Pilgerfahrt der Blumengeister«,
erschienen 1851 in Leipzig.

insel taschenbuch 524
Erste Auflage 1981
© *Insel Verlag Frankfurt am Main 1978*
Alle Rechte vorbehalten
Quellenhinweise am Schluß des Bandes
Vertrieb durch den Suhrkamp Taschenbuch Verlag
Umschlag nach Entwürfen von Willy Fleckhaus
Satz: Poeschel & Schulz-Schomburgk, Eschwege
Druck: Kösel GmbH & Co., Kempten
Printed in Germany

INHALT

DIE BESEELTEN BLUMEN

LES FLEURS ANIMÉES

Fern hallt Musik; doch hier ist stille Nacht,
Mit Schlummerduft anhauchen mich die Pflanzen:
Ich habe immer, immer dein gedacht;
Ich möchte schlafen, aber du mußt tanzen.

Es hört nicht auf, es rast ohn Unterlaß;
Die Kerzen brennen, und die Geigen schreien,
Es teilen und es schließen sich die Reihen,
Und alle glühen; aber du bist blaß.

Und du mußt tanzen; fremde Arme schmiegen
Sich an dein Herz; o leide nicht Gewalt!
Ich seh dein weißes Kleid vorüberfliegen
Und deine leichte, zärtliche Gestalt. – –

Und süßer strömend quillt der Duft der Nacht
Und träumerischer aus dem Kelch der Pflanzen,
Ich habe immer, immer dein gedacht;
Ich möchte schlafen, aber du mußt tanzen.

Theodor Storm

Tanz der Blumen

Im Winterboden schläft, ein Blumenkeim,
Der Schmetterling, der einst um Busch und Hügel
In Frühlingsnächten wiegt den samtnen Flügel;
Nie soll er kosten deinen Honigseim.

Wer aber weiß, ob nicht sein zarter Geist,
Wenn jede Zier des Sommers hingesunken,
Dereinst, von deinem leisen Dufte trunken,
Mir unsichtbar, dich blühende umkreist?

Eduard Mörike

Schneeglöckchen und Himmelschlüssel

Karfreitag

Verhangener Tag, im Wald noch Schnee,
Im kahlen Holz die Amsel singt:
Des Frühlings Atem ängstlich schwingt,
Von Lust geschwellt, beschwert von Weh.

So schweigsam steht und klein im Gras
Das Krokusvolk, das Veilchennest,
Es duftet scheu und weiß nicht was,
Es duftet Tod und duftet Fest.

Baumknospen stehn von Tränen blind,
Der Himmel hängt so bang und nah,
Und alle Gärten, Hügel sind
Gethsemane und Golgatha.

Hermann Hesse

Veilchen

Bestelltes Mädchen

Vom Licht tropft Wachs
In diese Nacht
Und heftet sich als Pfirsichblatt
Auf deinen Ärmel.
Des Weines Spur und Lust zudem
Befleckt granatrot
Dir den Schoß . . .

Denn du entzogst dich nicht . . .
Bis zu der Hefe Bitternis
Warst du Genossin beim Gelag . . .
Im Alter späterhin jedoch
Erinnerst du
Dies Fest –
Und Reue packt dich . . .

Bo Djü-i

Pfirsichblüte

Aber bitte,
dieses Gelb oder Rosa
ist so erschrocken, weil es
blüht. Es genügt
eine Kleinigkeit für eine
Sensitive. Der Reiz ist immer
zu heftig. Ich lebe erschrocken.
Ich kann nicht anders:
auf der Flucht vor Berührung
durch Leben, das stärker ist.
Es genügt ein Augenblick
und mein eigenes stirbt
vor Empfindung.

Karl Krolow

Mimose

Prachtvoll bist du zu schauen im Ballsaal, wenn du in
dunklem,
Lockig geringeltem Haar, weiße Camelie, prangst.
Vornehm bist du und stolz, und ein jeder, wenn er dich
anschaut,
Muß dich bewundern, jedoch bleibt der Bewundernde
kalt.

Johannes Trojan

Camelie

Doch ich, geliebtester Narziß, ich habe nichts
als meinen Kern verstanden:
die andern gehn vorbei, unkenntlichen Gesichts,
alle wie nicht vorhanden.
Mein Leib, köstlichstes Gut, ich habe nichts wie Dich!
Der Menschen Lieblichster, wen liebte er, als sich . . .

Paul Valéry

Narzisse

Das Stiefmütterchen – La Pensée – Der Gedanke

Mensch
Du hast die traurigste die trübste aller Blumen
angeschaut
Und hast ihr wie den andern Blumen einen Namen
gegeben
Du hast sie Gedanke genannt
Gedanke
Das war wie man so sagt gut beobachtet
Ein guter Gedanke
Und die häßliche Blume die nie lebt und nie welkt
Hast du Immortelle genannt . . .
Für sie war das nicht schlecht . . .
Aber den Flieder hast du Flieder genannt
Flieder das ist gut und recht
Der Margerite hast du einen Frauennamen gegeben
Oder vielmehr den Frauen einen Blumennamen
Es kommt auf dasselbe heraus
Wichtig nur daß es hübsch war
Und Freude machte . . .
Schließlich hast du allen einfachen Blumen einfache
Namen gegeben
Und die größte die schönste
Jene die steil auf dem Mist der Armut wächst
Die sich reckt neben alten rostigen Revieren

Stiefmütterchen

Neben alten verreckenden Katzen
Neben alten zerschlitzten Matratzen
Neben Holzbaracken wo die Unterernährten
                                    dahinvegetieren
Jene so lebendige Blume
Die ganz gelb und strahlend brennt
Und die der Gelehrte Helianthus nennt
Hast du Sonnenblume genannt
. . . Sonnenblume . . .
Ach! Ach! Ach und tausendmal Ach!
Wer schaut die Sonnenblume an?
Wer schaut die Sonne an?
Niemand schaut mehr die Sonne an
Die Menschen sind geworden was sie geworden sind
Kluge Menschen . . .
Im Knopfloch eine krebskranke schwindsüchtige
                    ängstliche Blume die müde niederhängt
Gehn sie spazieren den Blick auf die Erde gesenkt
Und denken an den Himmel
Sie denken . . . sie denken . . .
Sie vermögen nicht mehr die wahren die lebendigen
                                    Blumen zu lieben
Sie lieben die welken Blumen die sterbenskranken
Die Immortellen und die Gedanken
Und sie waten durch den Schlamm der Erinnerung
                        durch den Schlamm der Reue

Sie ziehen
Mit Mühen
Durch den Sumpf der Vergangenheit
Sie schleppen sich ... sie schleppen ihre Ketten mit
Und schleppen den Fuß in ruckendem Schritt
Mit Mühe nur kommen sie weiter
Und sie singen zum Kopfzerspringen das Totenlied
Ja sie singen
Zum Kopfzerspringen
Doch alles was zersprungen und tot ist in ihrem Kopf
Möchten sie um nichts in der Welt entfernen
Denn
in ihrem Kopf
Wächst die verfluchte Blume
Die häßliche armselige kleine Blume
Die kranke Blume
Die bittere Blume
Des Menschen ureigenste Blume
... Der Gedanke ...

Jacques Prévert

Garten, der früher Don Pedro gehörte

Da Frühling ist und er sich hier
ganz fassen läßt . . . Damit er, unter freier
Majestät der Sonne, himmlisch
aber doch sanft vibriert,
oder um eine Ewigkeit, nah,
vielleicht zu entziffern,
schmelzen Orangenbaum und Jasmin
gemeinsam mit Wasser und Mauer
das Lebende und das Reine zusammen:
die Säle dieses Gartens.

Jorge Guillén

Orangenblüte

Tulpen an der Frühlingswende

Stürzt der Bienen Duftgeläute
Dunkel aus dem Weißdorn nieder,
Morgen, ach, nicht mehr wie heute,
Aber heute immer wieder:

Mit Chorälen wie von Engeln
Füllen dann die Tulpenvasen,
Schwankend über hohen Stengeln,
Sich im windbewegten Rasen.

Darf so feste Form verweilen?
Gras und Granne widersagen,
Federkugel im Enteilen
Muß der Dauer sich entschlagen.

Glühend welkt entlang den Rändern
Dunst und Glast der Feuergeister,
Und die Schar mit Blitz und Bändern
Kennt in Oberon den Meister.

Tulpenblüten, ihn zu fesseln,
Schlagen auswärts ihre Throne,
Doch auf den zerstörten Sesseln
Weist er Zepter ab und Krone.

Tulpe

Voller Hauch, noch spröd verriegelt,
Dringt aus anderen Gefäßen,
Neue Liebe wird besiegelt,
Böser Zauber ist gewesen.

Eine Schöne, rein durchwaltet,
Sich entzog dem Todeslose,
Denn aus Duft, in Duft gefaltet,
Formte sich die erste Rose.

Elisabeth Langgässer

Königin Semiramis,
Die als Kind erzogen worden
Von den Vögeln, und gar manche
Vögeltümlichkeit bewahrte,

Wollte nicht auf platter Erde
Promenieren wie wir andern,
Säugetiere, und sie pflanzte
Einen Garten in der Luft –

Hoch auf kolossalen Säulen
Prangten Palmen und Zypressen,
Goldorangen, Blumenbeete,
Marmorbilder, auch Springbrunnen,

Alles klug und fest verbunden
Durch unzählge Hängebrücken,
Die wie Schlingpflanzen aussahn
Und worauf sich Vögel wiegten –

Große, bunte, ernste Vögel,
Tiefe Denker, die nicht singen,
Während sie umflattert kleines
Zeisigvolk, das lustig trillert –

Alle atmen ein, beseligt,
Einen reinen Balsamduft,
Welcher unvermischt mit schnödem
Erdendunst und Mißgeruche.

Heinrich Heine

Nelke

Die Kutsche rollt durch atmende Pastelle.
Wir ziehn den Hut. Die Kutsche rollt vorbei.
Die Zeit versinkt in einer Fliederwelle.
Oh, gäb es doch ein Jahr aus lauter Mai!

Melancholie und Freude sind wohl Schwestern.
Und aus den Zweigen fällt verblühter Schnee.
Mit jedem Pulsschlag wird aus Heute Gestern.
Auch Glück kann weh tun. Auch der Mai tut weh.

Er nickt uns zu und ruft: »Ich komme ja wieder!«
Aus Himmelblau wird langsam Abendgold.
Er grüßt die Hügel, und er winkt dem Flieder.
Er lächelt. Lächelt. Und die Kutsche rollt.

Erich Kästner

Flieder

Blau ist ein Blümelein,
das heißt Vergißnichtmein;
dies Blümlein leg ans Herz
und denke mein!
Stirbt Blum und Hoffnung gleich,
wir sind an Liebe reich,
denn die stirbt nie bei mir,
das glaube mir.

Altes Volkslied

Vergißmeinnicht

Der Rosenbusch

Es haben meine wilden Rosen
– Erschauernd vor dem Hauch der Nacht –
Die windeleichten, dichten, losen
Blüten behutsam zugemacht.

Doch sind sie so voll Licht gesogen,
Daß es wie Schleier sie umweht,
Und daß die Nacht in scheuem Bogen
Am Rosenbusch vorübergeht.

Hermann Claudius

Heckenrose

Blasse Kontur der weißen, stummen Zeichen –
auf stiller Trift die blühenden Margeriten,
die unterm grau verhängten Licht erbleichen;
ob sie zu viel des Sonnenglücks gelitten?

Ich blick in ihre großen, weißen Sterne –
erschrockne Schönheit, welches ist dein Sinn? –
Und schau in eine endlos tiefe Ferne:
wo blüht ihr her? wo welkt ihr hin?

Macht eines Trugs Erkenntnis euch erschauern,
da ihr, verlassen von des Tags gewohntem Schein
und fröstelnd, sucht nach Kraft, zu überdauern? –
Prüf, Herz, ob es nicht besser ist, allein zu sein!

Josef Mühlberger

Margerite

Jasminen

Grün ist der Jasminenstrauch
   Abends eingeschlafen.
Als ihn mit des Morgens Hauch
   Sonnenlichter trafen,

Ist er schneeweiß aufgewacht.
   »Wie geschah mir in der Nacht?«
Seht, so geht es Bäumen,
   Die im Frühling träumen!

Friedrich Rückert

Jasmin

Frauen-Ritornelle

Blühende Myrthe –
Ich hoffte süße Frucht von dir zu pflücken;
Die Blüte fiel; nun seh ich, daß ich irrte.

Schnell welkende Winden –
Die Spur von meinen Kinderfüßen sucht ich
An eurem Zaun, doch konnt ich sie nicht finden.
Muskathyazinthen –
Ihr blühtet einst in Urgroßmutters Garten;
Das war ein Platz, weltfern, weit, weit dahinten.

Theodor Storm

Winde

Kelche

Unfaßlich sind die Kelche
der Blumen im Gewind,
man fragt sich, wo und welche
die rätselvollsten sind.

Sie stehen flach und gläsern
doch auch mit Knoll und Stab,
sie stammen von den Gräsern
doch auch vom Fleische ab.

Man kann sie nie erfassen
zweideutig, wesenlos,
Erglühen und Erblassen
in kaum verdecktem Schoß.

Gottfried Benn

Lilie

Wir waren
Hände,
wir schöpften die Finsterns leer, wir fanden
das Wort, das den Sommer heraufkam:
Blume.

Paul Celan

Wicke

Rose, du thronende, denen im Altertume
Warst du ein Kelch mit einfachem Rand.
Uns aber bist du die volle zahllose Blume,
Der unerschöpfliche Gegenstand.

In deinem Reichtum scheinst du wie Kleidung um
                                                Kleidung
Um einen Leib aus nichts als Glanz;
Aber dein einzelnes Blatt ist zugleich die
                                                Vermeidung
Und die Verleugnung jedes Gewands.

Seit Jahrhunderten ruft uns dein Duft
Seine süßesten Namen herüber;
Plötzlich liegt er wie Ruhm in der Luft.

Dennoch, wir wissen ihn nicht zu nennen, wir
                                                raten . . .
Und Erinnerung geht zu ihm über,
Die wir von rufbaren Stunden erbaten.

Rainer Maria Rilke

Rose

Der Lenz hat seine Blumenscharen
Hinausgesendet in die Welt,
Sie eifern, ihn zu offenbaren
Auf Berg und Au, in Tal und Feld.

Da blühn die Primeln knapp an Rosen,
Bei Veilchen mit und ohne Duft,
Da lauscht der Lenzsafran in Moosen,
Ob bald der erste Kuckuck ruft.

Das Goldenmilzkraut steckt sein Köpfchen
Aus seiner Blätterhalskraus' her,
Das Leberkraut gleicht blauen Tröpfchen,
Entthaut dem blauen Himmelsmeer.

Es ist ein liebliches Gedränge,
Ein lebensvolles Farbenspiel,
Und nicht ein Blümchen in der Menge
Erscheint entbehrlich und zuviel.

Der Schierling selbst mit fleck'gem Stengel
Gehöret mit zum großen Chor:
Er stellt im Kreis der Blumenengel
Den Düsteren, Gefallnen vor.

Johann Gabriel Seidl

Schierling

Die Nachtblume

Nacht ist wie ein stilles Meer,
Lust und Leid und Liebesklagen
Kommen so verworren her
In dem linden Wellenschlagen.

Wünsche wie die Wolken sind,
Schiffen durch die stillen Räume,
Wer erkennt im lauen Wind,
Obs Gedanken oder Träume? –

Schließ ich nun auch Herz und Mund,
Die so gern den Sternen klagen:
Leise doch im Herzensgrund
Bleibt das linde Wellenschlagen.

Joseph von Eichendorff

Flachs

Der Schlaf

Verflucht ihr dunklen Gifte,
Weißer Schlaf!
Dieser höchst seltsame Garten
Dämmernder Bäume
Erfüllt von Schlangen, Nachtfaltern,
Spinnen, Fledermäusen.
Fremdling! Dein verlorner Schatten
Im Abendrot,
Ein finsterer Korsar
Im salzigen Meer der Trübsal.
Aufflattern weiße Vögel am Nachtsaum
Über stürzenden Städten
Von Stahl.

Georg Trakl

Mohn

Seit Mond und Venus ihre Bahnen gehn
hat man was Beßres nicht als Wein gesehn.
Mich wundert's nur, daß jemand Wein verkauft!
Was kann er Beßres denn dafür erstehn?

Und wißt ihr, Freunde, noch das Hochzeitsmahl
das zweite, das ich hielt in meinem Saal?
Vernunft, die dürre Alte, schick ich heim
und nahm der Rebe Tochter zu Gemahl.

Omar Khayyam

Wein

O heimlich Weh, halt dich bereit,
Bald nimmt man dir dein Trostgeschmeid!
Das duftende Sehnen
Der Kelche voll Tränen,
Das hoffende Ranken
Der kranken Gedanken
Muß in den Erntekranz hinein.
Hüte dich, schöns Blümelein!

Ihr Bienlein, ziehet aus dem Feld,
Man bricht euch ab das Honigzelt,
Die Bronnen der Wonnen,
Die Augen, die Sonnen,
Der Erdsterne Wunder,
Sie sinken jetzt unter
All in den Erntekranz hinein.
Hüte dich, schöns Blümelein!

O Stern und Blume, Geist und Kleid,
Lieb, Leid und Zeit und Ewigkeit!
Den Kranz helft mir winden,
Die Garbe helft binden,
Kein Blümlein darf fehlen,
Jed' Körnlein wird zählen
Der Herr auf seiner Tenne rein.
Hüte dich, schöns Blümelein!

Clemens Brentano

Kapuzinerkresse

Der jungen Rose fiel es ein,
Auf einem Blumen-Maskenballe
In jener Feeengartenhalle
Bescheiden eine Distel zu sein.

Getäuscht von der Metamorphose,
Macht sich ein Herrchen gleich herbei,
Im grünen Frack und gelber Hose,
Ein ganzer Esel, meiner Treu!
Seht nur die wunderbaren Gesten,
Wie ihm das Herz im Leibe lacht!
Die Schöne denkt, den hab ich nun zum besten!
Und hätte sich beinah zu grün gemacht.
– Auf einmal stutzt er, schnüffelt in die Luft:
Er wittert wahrlich Rosenduft.
Gebt acht, nun schleicht er traurig sich beiseite,
Für seinesgleichen ist das schlechte Weide.
– Doch nein, er weilt entzückt, seht her!
Der hat Verstand, trotz seiner langen Ohren!
Und hat er morgen keinen mehr,
Begreif ichs, wie er ihn verloren.

Eduard Mörike

Distel

Die Lotosblume

Die Lotosblume ängstigt
Sich vor der Sonne Pracht,
Und mit gesenktem Haupte
Erwartet sie träumend die Nacht.

Der Mond, der ist ihr Buhle,
Er weckt sie mit seinem Licht,
Und ihm entschleiert sie freundlich
Ihr frommes Blumengesicht.

Sie blüht und glüht und leuchtet
Und starret stumm in die Höh;
Sie duftet und weinet und zittert
Vor Liebe und Liebesweh.

Heinrich Heine

Lotos

Das Geißblatt

Duften wird das dichte Geißblatt
rankend an der Gartenmauer,
doch werden weder du noch ich den Duft
einsammeln, der mit unsrer Liebe ging.
Und diese Liebe, die sich löst wie Duft,
wird sie nicht enden?

Jorge Guillén

Geißblatt

Einen Sommer lang

Zwischen Roggenfeld und Hecken
Führt ein schmaler Gang,
Süßes, seliges Verstecken
Einen Sommer lang.

Wenn wir uns von ferne sehen
Zögert sie den Schritt,
Rupft ein Hälmchen sich im Gehen,
Nimmt ein Blättchen mit.

Hat mit Ähren sich das Mieder
Unschuldig geschmückt,
Sich den Hut verlegen nieder
In die Stirn gerückt.

Finster kommt sie langsam näher,
Färbt sich rot wie Mohn,
Doch ich bin ein feiner Späher,
Kenn die Schelmin schon.

Noch ein Blick in Weg und Weite,
Ruhig liegt die Welt,
Und es hat an ihre Seite
Mich der Sturm gesellt.

Kornblume und Feldmohn

Zwischen Roggenfeld und Hecken
Führt ein schmaler Gang,
Süßes, seliges Verstecken
Einen Sommer lang.

Detlev von Liliencron

Der Wahnsinn

Sie muß immer sinnen: Ich bin . . . ich bin . . .
Wer bist du denn, Marie?
    Eine Königin, eine Königin!
    In die Kniee vor mir, in die Knie!

Sie muß immer weinen: Ich war . . . ich war . . .
Wer warst du denn, Marie?
    Ein Niemandskind, ganz arm und bar,
    und ich kann dir nicht sagen wie.

Und wurdest aus einem solchen Kind
eine Fürstin, vor der man kniet?
    Weil die Dinge alle anders sind,
    als man sie beim Betteln sieht.

So haben die Dinge dich groß gemacht,
und kannst du noch sagen wann?
    Eine Nacht, eine Nacht, über *eine* Nacht, –
    und sie sprachen mich anders an.
    Ich trat in die Gasse hinaus und sieh:
    die ist wie mit Saiten bespannt;
    da wurde Marie Melodie, Melodie . . .
    und tanzte von Rand zu Rand.

Die Leute schlichen so ängstlich hin,
wie hart an die Häuser gepflanzt, –
denn das darf doch nur eine Königin,
daß sie tanzt in den Gassen: tanzt! . . .

Rainer Maria Rilke

Granatapfel

Die Georgine

Warum so spät erst, Georgine?
Das Rosenmärchen ist erzählt
Und honigsatt hat sich die Biene
Ihr Bett zum Schlummer schon gewählt.

Sind nicht zu kalt dir diese Nächte?
Wie lebst du diese Tage hin?
Wenn ich dir jetzt den Frühling brächte,
Du feuergelbe Träumerin,

Wenn ich mit Maitau dich benetzte,
Begösse dich mit Juni-Licht,
Doch ach, dann wärst du nicht die Letzte,
Die stolze Einzige auch nicht.

Wie, Träumerin, lock' ich vergebens?
So reich' mir schwesterlich die Hand;
Ich hab' den Frühling dieses Lebens
Wie du den Maitag nicht gekannt.

Dahlie – Georgine

Und spät wie dir, du feuergelbe,
Stahl sich die Liebe mir in's Herz;
Ob spät, ob früh, es ist dasselbe
Entzücken und derselbe Schmerz.

Hermann von Gilm

Der herbstliche Garten

Der Ströme Seelen, der Winde Wesen
Gehet rein in den Abend hinunter,
In den schilfigen Buchten, wo herber und bunter
Die brennenden Wälder im Herbste verwesen.

Die Schiffe fahren im blanken Scheine,
Und die Sonne scheidet unten im Westen,
Aber die langen Weiden mit traurigen Ästen
Hängen über die Wasser und weinen.

In der sterbenden Gärten Schweigen,
In der goldenen Bäume Verderben
Gehen die Stimmen, die leise steigen
In dem fahlen Laube und fallenden Sterben.

Aus gestorbener Liebe in dämmrigen Stegen
Winket und wehet ein flatterndes Tuch,
Und es ist in den einsamen Wegen
Abendlich kühl und ein welker Geruch.

Aber die freien Felder sind reiner,
Da sie der herbstliche Regen gefegt.
Und die Birken sind in der Dämmerung kleiner,
Die ein Wind in leiser Sehnsucht bewegt.

Und die wenigen Sterne stehen
Über den Weiten in ruhigem Bilde.
Laßt uns noch einmal vorübergehen,
Denn der Abend ist rosig und milde.

Georg Heym

Pfeilkraut

Ganz herbstlich

Ihr Kleid war herbstlich
und ihr Haar war herbstlich
und ihr Auge war herbstlich

Ihr Mund war herbstlich
und ihre Brust war herbstlich
und ihr Träumen war herbstlich

Ihr Nabel war herbstlich
und ihr Schoß war herbstlich
und ihr Lächeln war herbstlich

Herbst war wie sie schmeckte
und Herbst war ihre Zärtlichkeit
und Herbst war ihre Furcht

Ganz herbstlich war sie
wie ein Allerseelengedicht

František Halas

Scabiose

Hier bring ich süße Früchte,
Die auf gar ferner Au,
Dort unter jenem Himmel
Gereift, der ewig blau.
Wenn du sie wirst genießen,
So werden sie dir gern
Den freien Blick erschließen
In weite Länderfern.

Denk dir die Pracht des Kaktus,
Die blühende Aloe
Und drüber hin die Palme,
Strebend hinauf zur Höh!
Sieh, Schmetterlinge fliegen
Durch all die Blumen hin
Eidechsen, die sich wiegen
Auf Rosen, goldengrün.

Nikolaus Lenau

Kaktusblüte

Welkes Blatt

Jede Blüte will zur Frucht,
Jeder Morgen Abend werden,
Ewiges ist nicht auf Erden
Als der Wandel, als die Flucht.

Auch der schönste Sommer will
Einmal Herbst und Welke spüren.
Halte, Blatt, geduldig still,
Wenn der Wind dich will entführen.

Spiel dein Spiel und wehr dich nicht,
Laß es still geschehen.
Laß vom Winde, der dich bricht,
Dich nach Hause wehen.

Hermann Hesse

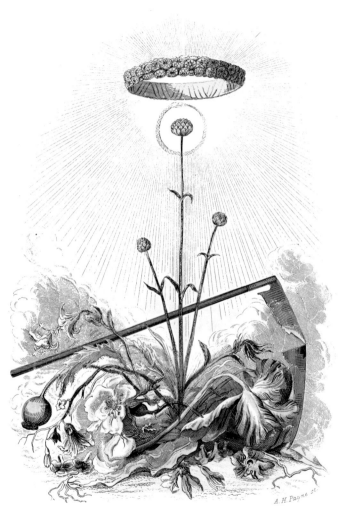

Immortelle

Der Blumen Wiederkehr

Schluß-Stück

Nun weiß ich, was des Gartens Seligkeit mir wies,
was Berg und Meer, Tempel und Haus nicht konnten:
Erinnerung an das verlorne Paradies.

Nun erst versteh ich auch der Bäume nächtlich Reden,
der Blumen Schlaf und Traum, den übersonnten:
die Hoffnung auf ein fernes Eden.

Josef Mühlberger

NACHWORT

Der Südfranzose Darius Milhaud hat einen »Catalogue de Fleurs« komponiert. Er tat es mit der Leichtigkeit und girlandenhaften Anmut, wie sie dem Provencalen in diesem tönenden vegetabilen Katalog ganz natürlich gelang. Jean-Ignace-Isidore Gérard, der sich Grandville nannte und am 15. September 1803 geboren wurde, war von anderer Natur. Er war Lothringer, in Nancy geboren und dort herangewachsen, stammte aus einer Familie von Miniaturmalern und erbte die Begabung der Familie. Beim Vater erlernte er das Handwerk, ehe er 1825 nach Paris ging. Seine erste Arbeit, für die noch sein Lehrer zeichnete, war ein lithographiertes Kartenspiel. Und die damals noch neue Lithographie eignete er sich rasch an. Er war Einzelgänger, und Einzelgänger sind geborene Autodidakten.

Zunächst sah es so aus, als werde aus dem jungen Mann ein Tages-Karikaturist. Seine Feder war rasch. Sie notierte den politischen Augenblick. Er bekam Stoff in Fülle und blieb beim schnellen Notieren. Schon damals war Grandville ein manischer Arbeiter. Hinter dieser Arbeit trat sein Leben bis zur Anonymität zurück. Diese Namenlosigkeit begleitete ihn bis zum frühen Tode, der einer komplizierten geistigen Erkrankung ein Ende setzte. Daß er zweimal verheiratet war und aus beiden Ehen Kinder hatte, daß er durchaus von Familie umgeben war und diese Umgebung nötig haben mochte, blieb beinahe unbemerkt.

Er hinterließ weder Briefe noch Aufzeichnungen. Er hinterließ, als er am 17. März 1847 starb, einen Schatz, ein Arsenal von Handzeichnungen, die der Sohn aus zweiter Ehe ordnete. »Er verstand es nicht, den rechten Weg zu seinem Glück einzuschlagen«, lautet der von ihm selbst entworfene Grabspruch. Dieses Glück – wenn es so etwas gäbe – verstellte ihm vielleicht die Phantasie, mit der er geschlagen war, die sich ihm unablässig aufdrängte, die ihn quälte und befreite zugleich, die ihn zu sich kommen und die menschliche Beziehung verkommen ließ. Grandville war nach und nach geradezu sprachlos geworden vor Wortkargheit. Er drückte sich in Zeichnungen, in Skizzen und Illustrationen aus.

Hektisch entstand Werk um Werk, nun nicht mehr auf Aktuelles bezogen, sondern ins Phantastische, Skurrile, Bodenlose, Seltsame ausweichend. Er illustrierte Béranger, Swift, La Fontaine und hatte raschen Erfolg mit »Les Metamorphoses du Jour« (1829), vor allem aber mit »Scènes de la Vie privée et publique des Animaux« vom Jahre 1842, auch mit »Un autre Monde«, das zwei Jahre danach erschien. »Les Fleurs Animées«, »Die beseelten Blumen« erschienen im Todesjahr 1847, und wenn etwas auf diese Bilderseele aus dem Blumen- und Menschenleben zutraf, so war es eine andere Stelle der selbstverfaßten Grabinschrift: »Er beseelte alles und machte, nach Gott, alles leben, sprechen oder gehen.« Das klingt besessen und folgerichtig, und Besessenheit und Konsequenz bis zum Wahn, zur Selbst-Isolation markierte alles bei diesem Zeichner. Er war hybrid vor

Bescheidenheit, vor Scheu und Lebensschwäche. Sein Maß war ein ständiges Unmaß der Arbeitsamkeit. Er verlor sich so. Er gab sich hin an die Zeichenfeder, an die Lithographie, an die bedrückende und schöne, an die exaltierte und ständige Phantasie, seine Geißel und seine einzige Gelegenheit, sein Leben zu überstehen auf seltsame Art und Weise, in die Krankheit gleitend, nach und nach gelinde verrückt und sich in seiner Verrücktheit, dieser sanften Veränderung, beobachtend. Er sagte voraus, was kam.

Und was er geschaffen hatte, hatte zugleich großen Erfolg, so wie die »Beseelten Blumen« Erfolg mit immer neuen Auflagen nicht nur bei der damaligen Damenwelt hatten. Etwas Suggestives und insgeheim Abstoßendes ging von dem aus, was er zeichnete. Noch Walter Benjamin hat Kritik an diesem Phänomen des Mißverständlichen, Kryptischen und Überdeutlichen zugleich, geübt. Und die Zeitgenossen waren verdutzt, erschrocken und zustimmend wie Baudelaire oder Dumas. Sie sahen den Sonderling und seine unablässige Leistung, seine krankhafte Produktionsfähigkeit, sein Versunkensein und einen Erfolg, der sich vom persönlichen Leben Grandvilles gleichsam unabhängig gemacht hatte.

»Die beseelten Blumen« sind, wie vorher die von ihm gezeichnete Welt der Tiere, besondere Menschenwesen, oder anders ausgedrückt: Lebe- und Schwebewesen zwischen Mensch und Pflanze, in verführerischer Manier bis zur exzessiven Künstlichkeit, Stilisierung geraten, einer suggestiven Erstarrung ausgeliefert, bei rasender Lebendigkeit, einer Pedanterie der Genauigkeit als einer Schwester der Labilität, der strapazierten Sensitivität, der unmäßigen Ausdrucksfähigkeit, in der sich Grandvilles Phantasie entlud wie ein privates Naturereignis, das an den Sinnen und Kräften zehrte und den Verfall halb verbarg, halb aufdeckte, ihn jedenfalls zuließ und einen bestimmten Verfallsprozeß durch eine sinnliche Exaktheit durchscheinend machte.

»Die beseelten Blumen« sind nicht lediglich vermenschlichte Blumen-Erscheinungen. Der Reigen ist vertrackter, der vorüberzieht. Es ist die Symbiose des Überzarten, des sanften koloristischen Wahns, der sehnsüchtigen Hingabefähigkeit mit dem miniaturhaften Spleen des Festhaltens von Einzelheiten. Die Einzelheit wird von Grandville zwanghaft vorgeführt, und sie verführt, indem sie so sich zeigt. Sie wäre sonst unerträglich und ließe das Bild, das Blumenporträt auseinanderfallen. Die leise Paralysierung schleicht sich im kleinen Scherz, in der jähen Ironie davon. Durch beides wird Distanz gewonnen, wenn auch nur Distanz von einem Augenblick zum nächsten. Denn alles Feste, Genaue ist bei Grandville in den »beseelten Blumen« widerrufbar. Die puppenhafte Erstarrung ist eine Augenblicks-Haltung zwischen Unruhe, Taumel und Flucht. Das Sich-selbst-Verzehren wird auf solche Art und Weise festgehalten.

Der Figurinen-Charakter der Grandvilleschen Blumen rettet sich so vor Hilflosigkeit und Auflösung. Das Gesumm der vielen Blumenwesen, ihr Verhalten, ihr

Agieren ist halb atmosphärisches Summen, in der Luft zerstiebend, und halb Theatergemurmel. Die Blumenwesen werden wie von unsichtbarer Hand über eine intime und phantastische Bühne gezogen. Sie tauchen sogleich überscharf auf, präsentieren sich in Sanftheit und zuweilen schrill, und haben so ihren verschiedenartigen Auftritt, um wieder im Ensemble zu verschwinden. Es ist der blumenhafte Wahn des Kommens und Gehens, des Vergehens, der hier fixiert wird. Das Übertriebene sucht Halt in der einzelnen Fixierung. Das Sonderbare ordnet sich so ein und unter in die gemeinsame beseelte Landschaft.

Das Unwirkliche verwirklicht sich in Kostümen und Handlungen, in Apparaturen und im Aufseufzen, in der Koketterie und im Giftigen. Diese Blumenseelen zeigen sich unverhüllt und täuschen doch. Sie täuschen lieber vor, ehe es zur Enttäuschung kommt. Aber daß an ihnen etwas nicht geheuer ist, wird man sagen müssen. Und mit dem nicht Geheuren kam das Mißverständnis der Auslegenden. Die Blumenbilder Grandvilles täuschen vor, spiegeln aber keine heile Welt, kein freundliches Vegetieren, und das Unheil kann überall gewittert und da und dort wahrgenommen werden. Es sind Existenzen von mürber Anmut, die blumenhaft eingekleidet und verkleidet sind, bei Linnéhafter Exaktheit der Zeichnung von Blumen-Individualität.

Die Auswahl zeigt Grandvilles Wesen im Wesen seiner Geschöpfe, ihrem Willen, sich in ihrem dringlichen und eigentlich nie arglosen Dasein zu behaupten. Dasein zieht sich als Erscheinung zurück und wirkt zuweilen wie ein blumenhafter Revenant. Das Abgelebte und Wiederbelebte steht neben der fast zufällig anmutenden Unschuld. Denn zur Unschuld fehlt diesen Blumenseelen manches. Sie sind nicht nur allzu charakterbewußt, wenn sie ihren Auftritt bekommen. Sie sind auch heillos erfahren gegenüber ihrer Umwelt und wie sie von ihr beeinflußt sind und selber solche Umwelt beeinflussen. Die Unruhe, die zwischen Auflösung und Verfestigung pendelt, macht die beseelten Pflanzen zu irritablen Gestalten. Sie hält den Betrachter in Atem. Er kann sich nicht in Beschaulichkeit, nicht einmal in bloße Anschauung flüchten. Er wird bei solcher Zuflucht oder Bequemlichkeit des Besehens aufgehalten.

Jede Einzelheit der Ausstattung trägt zur Unruhe bei, Unruhe im Wechsel von Larve, Maske, Schmetterling, Windwesen und Todbringerin. Ophelische und arielische Wesen geraten aneinander und verändern das bloße Panorama, den vegetabilen ›Film‹ zur tragischen und übersensiblen, zur pomphaften und boshaften Szenerie, zur Blumenoper, in der mit anderer Stimmlage gesprochen wird bei überraschenden Rezitativen. Die Stimmlage ist überall ein wenig zu hoch. Doch gerade dies macht den Effekt, die Suggestion aus, das Zustimmen wider Willen, denn der Wille wird dem Betrachter gewissermaßen von der Intensität der kolorierten Stahlstiche abgenommen.

Eduard Mörike hat zur »Distel« Grandvilles ein Zeile für Zeile zutreffendes Gedicht geschrieben. Es beginnt

> Der jungen Rose fiel es ein,
> Auf einem Blumen-Maskenballe
> In jener Feengartenhalle
> Bescheiden eine Distel zu sein.

Es geht im Gedicht wie im Blumenporträt Grandvilles gleichsam um die Verkleidung der Verkleidung, die Täuschung der Täuschung: »Getäuscht von der Metamorphose . . .«, wie Mörikes Zeile den »ganzen Esel« einführt, der die Distel-Rose hofiert und schließlich um den Verstand gebracht wird. Die Täuschung der Wahrnehmungsfähigkeit gehört allemal zu Grandvilles »Blumen-Maskenballe in jener Feengartenhalle«. Es ist die hochillusionäre Szenerie, die Behexung, die nicht nur den Esel verwirrt. Das Versteckspiel, der pays cache-cache, in dem man sich als Betrachter der Bilder von »Les Fleurs Animées« bewegt, ist ein ununterbrochenes und ununterbrechbares Spiel. Man muß auf die Illusion eingehen, die hier verlockend dargeboten ist. Man begibt sich in Gefahr. Es geht schließlich um mehr als Täuschung. Die Enttäuschung muß nicht gleich ruinös sein. Sie hat diese blumenhafte Tapisserie, die tückisch ist, weil sie so vollkommen erscheint, weil sie nichts auszulassen scheint im Einzelnen und als Ganzes. Das Trügerische versteckt sich so, als schöne dekorative Blumensucht. Jenseits des Verstecks beginnt der Wahn, dem Grandville dreiundvierzigjährig nach wahnhaft geschwinder Arbeit erlag.

Karl Krolow

VERFASSER- UND QUELLENVERZEICHNIS

GOTTFRIED BENN
1886 in Mansfeld geboren, gestorben 1956 in Berlin.
Kelche, S. 48.
Aus: Gesammelte Werke in acht Bänden. Band 2. Gedichte
(Anhang).
Limes Verlag Wiesbaden und München.

BO DJÜ-I
772 in Shansi geboren, gestorben 846 in Lung Mên bei Lo
Yang.
Bestelltes Mädchen, S. 16.
Nach: Pflaumenblüte und verschneiter Bambus. Chinesische
Gedichte übersetzt von Jan Ulenbrook. Manesse-Verlag, Zürich 1969.

CLEMENS BRENTANO
1778 in Ehrenbreitstein geboren, gestorben 1842 in Aschaffenburg.
O heimlich Weh, halt dich bereit, S. 62.
Nach: Sprache der Blumen. © by Reinhard Mohn oHG,
Gütersloh.

PAUL CELAN
1920 in Czernowitz geboren, gestorben 1970 in Paris.
Wir waren (Auszug aus: Blume), S. 50.
Aus: Sprachgitter. © 1959, S. Fischer Verlag, Frankfurt a. M.

HERMANN CLAUDIUS
1878 in Langenfelde bei Altona geboren, lebt in Gröhnwold
bei Trittau.
Der Rosenbusch, S. 40.

Aus: Der Rosenbusch. Salzers Volksbücher 71. © Eugen
Salzer Verlag, Heilbronn.

JOSEPH VON EICHENDORFF
1788 auf Schloß Lubowitz/Oberschlesien geboren, gestorben
1857 in Neiße.
Die Nachtblume, S. 56.
Aus: Gedichte. Herausgegeben von Traude Dienel. Insel
Verlag Frankfurt am Main 1977 (insel taschenbuch 255).

HERMANN VON GILM ZU ROSENEGG
1812 in Innsbruck geboren, gestorben 1864 in Linz.
Die Georgine, S. 76.
Nach: Auswahl deutscher Gedichte. Herausgegeben von
Fritz Adolf Hünich. Insel-Verlag Leipzig 1958.

JORGE GUILLÉN
1893 in Valladolid geboren.
Garten, der früher Don Pedro gehörte, S. 28; Das Geißblatt,
S. 68.
Aus: Ausgewählte Gedichte. Spanisch und deutsch. Auswahl, Übersetzung und Nachwort von Hildegard Baum-
gart, Suhrkamp Verlag Frankfurt am Main 1974 (Bibliothek Suhrkamp 411).

FRANTIŠEK HALAS
1901 in Brünn geboren, gestorben 1949 in Prag.
Ganz herbstlich, S. 82.
Aus: Poesie. Texte in zwei Sprachen. Herausgegeben von
Hans Magnus Enzensberger. Tschechisch/deutsch. Übertra-
gung und Nachwort von Peter Demetz. Suhrkamp Verlag
Frankfurt am Main 1965.

HEINRICH HEINE
1797 in Düsseldorf geboren, gestorben 1856 in Paris.
Königin Semiramis (Auszug aus: Jehuda ben Halevy), S. 33.
Aus: Insel-Heine. Erster Band. Ausgewählt und herausge-
geben von Christoph Siegrist. Insel Verlag Frankfurt am
Main 1968.
Die Lotosblume, S. 66.
Nach: Sprache der Blumen. © Reinhard Mohn oHG, Gü-
tersloh.

HERMANN HESSE
1877 in Calw/Württ. geboren, gestorben 1962 in Monta-
gnola/Schweiz.
Karfreitag, S. 14; Welkes Blatt, S. 86.
Aus: Gesammelte Werke in zwölf Bänden. Erster Band.
Suhrkamp Verlag Frankfurt am Main 1970.

GEORG HEYM
1887 in Hirschberg/Schlesien geboren, gestorben 1912 in
Berlin.
Der herbstliche Garten, S. 79.
Aus: Gedichte. Herausgegeben von Stephan Hermlin. Ver-
lag Philipp Reclam jun. Leipzig o. J.

ERICH KÄSTNER
1899 in Dresden geboren, gestorben 1974 in München.
Die Kutsche rollt durch atmende Pastelle (Auszug aus: Der
Mai), S. 36.
Aus: Die dreizehn Monate. © Atrium Verlag, Zürich.

OMAR KHAYYAM
Seit Mond und Venus ihre Bahnen gehn, S. 60.
Aus: Robaiyat of Omar Khayyam in English verse by Ed-
ward Fitzgerald. Herausgegeben und mit einem Vorwort von
Hossein-Ali Nouri Esfandiary, 1970.

KARL KROLOW
1915 in Hannover geboren, lebt in Darmstadt.
Aber bitte, S. 18.
Erstveröffentlichung. © Insel Verlag Frankfurt am Main
1978.

ELISABETH LANGGÄSSER
1899 in Alzey geboren, gestorben 1950 in Rheinzabern.
Tulpen an der Frühlingswende, S. 30.
Aus: Gesammelte Gedichte. Band IV der Gesammelten
Werke in Einzelausgaben. Copyright 1959 by Claassen Ver-
lag GmbH in Hamburg.

NIKOLAUS LENAU
1802 in Csatád/Ungarn geboren, gestorben 1850 in Ober-
döbling bei Wien.
Hier bring ich süße Früchte (Auszug aus: Mit Orangen),
S. 84.
Aus: Insel-Lenau. Erster Band. Auf der Grundlage der hi-
storisch-kritischen Ausgabe von Eduard Castle herausgegeben von Walter Dietze. Insel Verlag Frankfurt am Main
1971.

DETLEV VON LILIENCRON
1844 in Kiel geboren, gestorben 1909 in Alt-Rahlstedt bei
Hamburg.
Einen Sommer lang, S. 70.
Aus: Insel-Liliencron. Herausgegeben von Benno von Wiese.
Erster Band. Insel Verlag Frankfurt am Main 1977.

EDUARD MÖRIKE
1804 in Ludwigsburg geboren, gestorben 1875 in Stuttgart.
Im Winterboden schläft (Auszug aus: Auf eine Christblume),
S. 12; Der jungen Rose fiel es ein (Titel: Fräulein Elise von
Grävenitz), S. 64.

Aus: Werke in zwei Bänden. Erster Band. Insel-Verlag Leipzig 1941.

JOSEF MÜHLBERGER
1903 in Trautenau/Böhmen geboren, lebt in Eislingen/Fils.
Blasse Kontur der weißen, stummen Zeichen (Auszug aus:
Margeriten an einem trüben Sommerabend), S. 42; Schluß-Stück, S. 89.
Aus: Gedichte. Insel-Verlag Zweigstelle Wiesbaden 1948.

JACQUES PRÉVERT
1900 in Neuilly-sur-Seine geboren.
Das Stiefmütterchen – La Pensée – Der Gedanke, S. 24.
Aus: Gedichte und Chansons. RP 7. Nachdichtung von Kurt
Kusenberg. © Rowohlt Taschenbuch Verlag GmbH, Reinbek bei Hamburg, 1962.

RAINER MARIA RILKE
1875 in Prag geboren, gestorben 1926 in Val Mont bei Montreux
Rose, du Thronende, S. 52; Der Wahnsinn, S. 73.
Aus: Sämtliche Werke in zwölf Bänden. Herausgegeben
vom Rilke-Archiv. Band 2 und Band 1. Insel Verlag Frankfurt am Main 1966.

FRIEDRICH RÜCKERT
1788 in Schweinfurt geboren, gestorben 1866 in Neuseß bei
Coburg.
Jasminen, S. 44.
Aus: Ausgewählte Werke in sechs Bänden. Herausgegeben
und eingeleitet von Philipp Stein. Philipp Reclam jun., Leipzig o. J.

JOHANN GABRIEL SEIDL

1804 in Wien geboren, dort gestorben 1875.
Der Lenz hat seine Blumenscharen (Auszug aus: Der Schierling), S. 54.
Nach: Gedichte auf Blumen und Früchte. Verlag die Wage/
Berlin o. J.

THEODOR STORM

1817 in Husum geboren, gestorben 1888 in Hademarschen/
Holst.
Fern hallt Musik (Titel: Hyazinthen), S. 10; Frauen-Ritornelle (Auszug), S. 46.
Aus: Insel-Storm. Herausgegeben von Gottfried Honnefelder. Erster Band. Insel Verlag Frankfurt am Main 1977.

GEORG TRAKL

1887 in Salzburg geboren, gestorben 1914 in Krakau.
Der Schlaf, S. 58.
Aus: Gedichte. Auswahl und Nachwort von Marie Luise
Kaschnitz. Suhrkamp Verlag Frankfurt am Main 1974 (Bibliothek Suhrkamp 420).

JOHANNES TROJAN

1837 in Danzig geboren, gestorben 1915 in Rostock.
Prachtvoll bist du zu schauen (Titel: Die Camelie), S. 21.
Nach: siehe Seidl.

PAUL VALÉRY

1871 in Sète geboren, gestorben 1945 in Paris.
Doch ich, geliebtester Narziß (Auszug aus: Narzissos), S. 22.
Aus: Gedichte. Übertragen durch Rainer Maria Rilke. Insel-
Verlag Zweigstelle Wiesbaden 1949.

Insel taschenbücher
Alphabetisches Verzeichnis